김알지

삼국유사

황금 상자에서 나오다

원작 일연 **글** 구들 **그림** 김세진 **감수** 최광식

탈해왕은 대궐 안 연못가에 앉아 생각에 잠겼어요.

왕비가 조심스럽게 다가와 물었지요.

"무슨 걱정이 있으십니까?"

"걱정은 무슨……. 그저 물고기들을 보고 있는 중이오."

탈해왕은 아무렇지도 않은 듯 웃으며 대답했어요.

하지만 왕비는 요즘 부쩍 생각이 많아진 탈해왕에게 미안한 마음이 들었어요.

"다 제 잘못입니다. 제가 아들을 낳지 못해서 걱정을 끼쳐 드리는군요.
저는 왕비 자격이 없습니다."

탈해왕은 깜짝 놀라며 말했어요.

"무슨 말을 그리 하시오? 그런 얘기하지 마시오."

왕비는 슬픈 미소를 지으며 자리를 떠났어요.

마침 호공이라는 신하가 지나가다 그 모습을 보았어요.

"그대도 들었는가? 어찌 하늘은 내게 아들을 주시지 않는단 말인가?"

"반드시 신라의 왕위를 이어받을 총명한 왕자님이 태어날 것이니
걱정하지 마십시오."

집으로 돌아가는 호공은 탈해왕 생각에
마음이 착잡했어요.
호공은 함께 가던 하인에게 말했지요.
"오늘은 숲길로 가자꾸나.
그 숲길이 내 마음을 달래 줄 것 같구나."
호공은 마음이 답답할 때면
반월성 서쪽에 있는 울창한 숲을
산책하곤 했어요.
숲의 이름은 '시림'이었는데,
시림은 어느 숲보다도 깨끗한 공기와
맑은 기운을 지니고 있었지요.
호공과 하인이 시림에 들어서는데
저만큼 앞에서 이상한 빛이 보였어요.
시림은 큰 나무들이 빽빽하게 서 있어서
낮에도 어두웠기 때문에 숲 속에서
빛을 본 적은 한 번도 없었답니다.
"이상하구나. 이 숲에 저런 밝은 빛이 들다니."
하인도 고개를 갸우뚱했어요.

호공은 옷소매로 눈을 닦아 낸 뒤 다시 숲 쪽을 보았어요.

빛을 향해 다가갈수록 빛은 더욱더 밝아졌지요.

그때 하늘에서 자줏빛 구름이 빠르게 내려오더니

숲에 기둥을 세우는 게 아니겠어요?

구름 기둥이 정말 곱고 아름다워 호공의 입이 절로 벌어졌어요.

"참으로 기이한 일이로다. 아마도 하늘이 내게 기쁜 소식을 알려 주려는 것 같구나."

호공은 허둥지둥 구름 기둥을 향해 달려갔어요.

눈부시게 빛나고 있는 구름 기둥 한가운데에 뭔가가 걸려 있었지요.

"저기 걸려 있는 것이 무엇 같으냐?"

호공이 하인에게 물었지만 하인도 알 수가 없었어요.

구름 기둥이 눈부셔 가까이 갈 수도 없었답니다.

그때 하늘에서 어떤 소리가 들려왔어요.

"호공아, 네가 보고자 하는 것을 보려면
먼저 마음을 맑게 닦아야 하느니라."

그 소리는 들떠 있던 호공의 마음을 나무라는 듯 했지요.

호공은 마음을 가라앉혔어요.

그러고는 무릎을 꿇고 기도를 드렸답니다.

어느 정도 마음이 진정되자 호공은 일어서서 앞을 보았어요.

그러자 조금 전까지만 해도 아른거리기만 하던 것이 또렷이 보였지요.

그것은 바로 황금 상자였어요.

그리고 그 나무 아래에는 어디서 나타났는지
흰 닭 한마리가 목청을 뽑고 울어 대고 있었어요.

꼬끼오, 꼬끼오!

쥐죽은 듯 고요한 숲 속에
닭 울음소리가 퍼져 나갔어요.

"이 닭은 하늘에서 내려온 것이 틀림없어.
우는 소리가 다르구나."

호공은 그길로 탈해왕에게 달려갔어요.

황금 상자 이야기를 들은 탈해왕은 몹시 들떴어요.

"아무래도 하늘이 우리 신라에 좋은 선물을 주신 것 같소. 어서 가 봅시다."

탈해왕과 호공은 여러 신하들을 거느리고 서둘러 숲으로 갔답니다.

숲은 오묘한 분위기를 풍기고 있었지요.

황금 상자가 걸려 있다는 나무 밑에 도착했을 때, 흰 닭이 우렁차게 울었어요.

꼬끼오!

호공은 나뭇가지 위를 가리켰어요.

"임금님! 저기옵니다."

나뭇가지 위에는 정말로 눈부신 빛을 내는

황금 상자가 걸려 있었답니다.

흰 닭은 숲이 떠나갈 듯 우렁차게 울어 댔어요.

탈해왕은 넋을 잃고 황금 상자를 바라보았지요.

정신을 차린 탈해왕은 신하들에게 상자를 내리라고 했어요.

입을 다물지 못하고 있던 신하들이 탈해왕의 명령에 따라 상자를 내려놓자마자

나무 아래에서 울고 있던 흰 닭이 하늘로 날아오르더니

어디론가 사라져 버렸답니다.

“황금 상자를 조심스럽게 다루어라!”

탈해왕이 조바심을 내며 말했어요.

군사들은 탈해왕 앞에 황금 상자를 조심조심 내려놓았어요.

탈해왕은 떨리는 손으로 살며시 황금 상자를 열었어요.

상자 안에는 귀엽고 잘생긴 사내아이가 누워 있었답니다.

탈해왕과 호공은 놀란 눈으로 아이를 바라보았어요.

“하늘에서 보내신 아이인가 봅니다.

임금님이 왕자님을 바란다는 것을 알고 말입니다.”

“그렇사옵니다. 우리에게 왕자님이 없는 걸 알고 하늘이 보내신 겁니다.”

신하들이 입을 모아 말했어요.

탈해왕은 아이를 품에 안고 활짝 웃었어요.

“정말 하늘에서 왕자를 내려 주셨나 보오.”

탈해왕이 아이를 안고 대궐로 돌아오는데
하늘의 모든 새와 땅의 짐승들도
축하하는 듯 탈해왕의 뒤를 따라왔어요.
탈해왕은 아이의 이름을 '알지'라고 짓고 정성스럽게 길렀어요.
알지는 무럭무럭 자랐지요.
어느 날, 탈해왕은 신하들을 한자리에 모았어요.
"나는 이 아이를 태자*로 삼도록 하겠소.
그러니 그대들도 그렇게 대해 주기 바라오!"
신하와 백성들은 총명한데다
의젓하고 마음이 따뜻한 알지를 좋아했어요.
탈해왕도 알지를 몹시 사랑하고 자랑스러워했답니다.

*태자 : 왕위를 이을 후계자

알지는 전왕인 유리왕의 아들 파사 왕자와 친하게 지냈어요.

어느 날 파사가 알지에게 물었어요.

"형님, 사람들이 형님은 상자에서 나왔다고 합니다. 사실입니까?
저희는 모두 어마마마의 배에서 나왔는데 왜 상자에서 나오셨지요?
대신들은 형님이 왕족이 아니라고 하던데, 그건 또 무슨 말인지요?"

알지는 미소를 지으며 대답했어요.

"내가 숲에서 태어났다고 하나 부모님이 사랑으로 키워 주셨으니
난 두 분의 아들이야. 이제 답이 되었느냐?"

지나가던 탈해왕과 호공이 우연히 이야기를 들었어요.

"임금님, 태자님의 지혜로움이 이미 어른들을 앞서는 듯 하옵니다."

탈해왕도 흐뭇해 하며 알지를 바라보았지요.

알지가 열 살이 되던 해,
알지를 키우고 보살펴 주던 왕비가
병을 앓기 시작했어요.
병의 원인을 알아야 치료를 할 수 있을 텐데
어떤 의원도 원인을 알아내지 못했지요.
어머니를 깊이 사랑한 알지는 밤낮으로
열심히 보살폈지만 왕비는 끝내
세상을 떠나고 말았답니다.
왕비의 장례식이 끝나고 알지가 슬픔에 젖어
멍하니 대궐 안을 거닐고 있는데
궁녀들이 소곤거리는 소리가 들렸어요.
"후궁 정씨가 왕비님의 밥에 독약을 탔단 말이야?
그런다고 왕비가 될 수 있을까?"
"그러게 말이야. 대궐은 너무 살벌해. 다들 임금 자리를 차지하려고 난리잖아."
알지는 대궐 안 사람들이 권력을 잡기 위해
서로를 해칠 수도 있다는 사실을 처음 알고 충격을 받았어요.
"권력이 무엇이길래 사람을 해친단 말인가?
내가 살아 있는 동안에는 그런 일이 없도록 해야겠다."

알지와 파사가 대신들의 아들들과 함께 대궐 마당에서
구슬치기를 하며 놀고 있었어요.
알지의 구슬이 파사의 것보다 더 많아지자 파사가 우기기 시작했지요.
"그 구슬은 제 것입니다."
"파사야, 내가 이겼으니까 내가 가져가는 거야."
파사는 계속 고집을 피웠어요.
"형님이 이긴 것이 아닙니다. 제가 실수를 한 것이니 이번 판은 무효입니다."
파사는 다른 아이들을 보며 말했어요.
"너희도 봤지? 너희는 누구 편이야? 알지 형님 편이야 내 편이야?"
아이들은 멍하니 두 사람을 쳐다보기만 했어요.
"네 편 내 편이 어디 있느냐? 우리는 모두 같은 핏줄이고 형제인데 왜 편을 나누느냐?"
파사는 화가 나서 알지를 노려보았지요.
"형님이 어떻게 같은 핏줄입니까?
대궐 안에서 형님을 왕자로 인정하는 사람은 없을 것입니다."
"그래, 네가 이겼다. 이 구슬을 다 줄 테니 편 가르기는 그만하자꾸나."
알지는 구슬을 주며 파사를 달랬어요.

시간이 흘러 탈해왕도 많이 늙었어요.
대궐 사람들은 조금씩 다음 왕이 누가 될 것인지 쑥덕거렸어요.
탈해왕은 알지에게 왕위를 물려주고 싶었지만
알지가 왕의 핏줄이 아니라는 점 때문에 반대하는 신하가 많았지요.
총명한 알지는 이 모든 사실을 알고 있었답니다.
알지는 탈해왕을 찾아갔어요. 탈해왕은 반갑게 알지를 맞았지요.
"알지야, 이제 나는 늙었다. 나는 너에게 왕위를 물려주고 싶은데 네 생각은 어떠냐?"

알지는 침착하게 대답했어요.

“아바마마, 누가 왕이 되느냐는 중요하지 않사옵니다.

중요한 것은 모든 사람들이 따르는 사람이 왕이 되어야 한다는 것이지요.

그러니 파사에게 왕위를 물려주심이 어떠하신지요?

파사는 전왕인 유리왕의 아들이니 왕위를 이을 자격이 있다고 생각하옵니다.”

탈해왕은 화를 내며 알지를 꾸짖었지만, 알지가 왜 그렇게 말하는지 알고 있었어요.

그래서 마음이 아팠답니다.

알지가 왕이 되는 문제를 두고, 대궐은 술렁거렸어요.
마음이 심란한 알지는 책에 빠져들었지요.
알지가 대궐 도서관에서 책을 읽고 있을 때였어요.
알지가 있는 것도 모르고 대신 몇 명이 은밀히 들어와
이야기를 나누기 시작했답니다.
“이 사태를 막아야만 하오.
어떻게 숲에서 주워 온 태자를 왕으로 삼는단 말이오?
우리 신라의 임금 자리가 근본도 모르는 사람에게
넘어간다는 게 말이 되오?”
다른 신하도 흥분하며 말했어요.
“당연히 임금의 자리는 유리왕의 자손인 파사 왕자에게 가야 할 것이오.
알지 태자에게 왕위가 넘어가는 일은 막아야 합니다.”
우연히 대신들의 이야기를 듣게 된 알지는 생각에 잠겼어요.
“나라가 튼튼하려면 신하들이 임금을 믿고 모셔야 하는데
내가 왕이 되면 이 나라가 매우 시끄러워지겠구나.”
탈해왕은 나이가 들어 몇 년 간 병석에 누워 있다 숨을 거두었어요.
신라에는 새로운 왕이 필요했지요.

태자인 알지가 왕위를 잇는 것이 자연스러운 일이었지만,

알지는 며칠째 방에서 나오지 않았어요.

알지는 결심을 하고 파사를 불렀어요.

"무슨 일로 저를 찾으셨습니까?"

"긴히 할 말이 있어서 불렀소. 나는 그대가 임금이 되었으면 하오."

뜻밖의 말에 파사는 깜짝 놀랐어요.

"나라가 튼튼하려면 신하와 백성들이 잘 따르는 사람이 왕이 되어야 하오.
많은 사람들이 그대가 왕이 되길 원하니 그리 해 주시오."
파사는 당황해 하며 황급히 머리를 조아렸어요.
"제가 무엇을 잘못했습니까? 형님의 인품을 제가 아는데 이러시는 이유가 무엇이옵니까?
신라의 임금은 형님이 되셔야 합니다."
알지는 파사의 손을 잡았어요.
"누가 왕이 되는 것이 뭐 그리 중요하겠소? 부탁하오."

결국 대신들과 알지의 뜻에 따라 파사가 왕위에 올랐어요.
왕이 된 파사는 언제나 알지와 나랏일을 상의하고 의견을 구했지요.
알지도 아낌없이 왕을 도와주었어요.
알지의 도움으로 파사왕은 신라의 영토를 넓히고,
백성들이 편안하게 살 수 있도록 하는 데도 노력을 아끼지 않았어요.
알지는 늘 뒤에서 파사왕을 열심히 도와
신라를 강한 나라로 만드는 데 최선을 다하다가 생을 마쳤지요.
비록 알지는 왕이 되지 못했지만 알지의 6대 후손인 미추왕이 왕위에 오른 이후부터
알지의 후손들이 계속 왕위를 이어나갔답니다.

황금 상자에서 나온

김알지

김알지는 '경주김씨'의 시조입니다. 경주김씨는 신라의 왕권을 이어 온 대표적인 성씨이지요. '시조'는 맨 처음 씨를 뿌린 조상이라는 뜻으로, 시조의 탄생과 업적을 기리는 신화를 '시조신화'라고 합니다.

우리나라의 여러 시조신화에는 공통점이 있습니다. 시조가 알에서 태어나거나 혹은 하늘에서 내려왔다는 점이 바로 그것이에요. 우리 조상은 하늘을 숭배하고 스스로를 하늘의 자손이라고 믿었습니다. 그래서 맨 처음 조상은 하늘에서 내려왔다고 생각했지요. 일부 신화는 유물이 발견되어 실제로 존재했던 것이 증명되었지만, 대부분의 신화는 후대 사람들이 만들어 낸 것입니다. 김알지의 후손인 경주김씨는 박혁거세의 후손 '박씨'나, 석탈해의 후손 '석씨'보다 신라에 늦게 도착한데다가 그 수도 적었기 때문에 자신들의 시조인 김알지를 더욱더 신비롭고 위대하게 표현할 필요가 있었지요. 그래서 김알지는 사람들이 숭배하는 태양처럼 반짝이는 황금 상자에서 나왔다고 한 것입니다.

처음에 신라에서는 박씨, 석씨, 김씨가 번갈아 가면서 왕이 되었습니다. 그런데 내물왕에 이르러 왕위는 오로지 경주김씨만 잇도록 했지요. 신라에 가장 늦게 도착한 김알지의 후손이 나중에는 신라의 왕위를 이어 가는 정통 왕족이 된 것이랍니다.

「김알지 신화는 경주김씨의 시조신화예요」

김알지와 관련 있는 **인물들**

탈해왕 : 신라 제4대 왕

왕위에 있던 기간은 57~80년입니다.
아들이 없던 탈해왕은 65년 '시림'에서 김알지를 얻은 뒤
시림의 이름을 '계림'으로 바꾸었습니다.
김알지에게 왕위를 물려주고 싶어했으나 신하들의 반대에 부딪혀
결국 유리왕의 후손인 파사 왕자가 탈해왕의 뒤를 이었습니다.

파사왕 : 신라 제5대 왕

탈해왕의 뒤를 이어 왕이 되었으며 왕위에 있던 기간은 80~112년입니다.
94년에 가야가 마두성을 포위하며 공격해 왔으나 물리쳤고,
108년에는 가야를 공격하여 비지국, 다벌국, 초팔국을
합병하는 업적을 세웠습니다.

알고 싶은 **요모조모**

국가의 기틀을 잡은 내물왕

초기의 신라는 박씨와 석씨가 번갈아 다스리던 부족연맹체였습니다. 부족연맹체란 여러 부족이 모여 이룬 집단으로, 국가의 전 단계라고 할 수 있지요. 그러던 것이 경주김씨인 13대 미추왕이 왕위를 김씨인 내물왕에게 물려주면서부터 국가의 기틀이 잡히기 시작합니다. 즉, 경주김씨가 왕위를 이어 가면서 강력한 왕권이 형성되었고 이를 통해 신라가 국가로 거듭나게 된 것이지요.

660년 백제 정복
668년 고구려 정복
676년 삼국 통일, 통일 신라 시대 시작
751년 불국사 창건
828년 청해진 설치
888년 향가집 《삼대목》 편찬
935년 신라 멸망

궁금증을 풀어 주는

미로여행

Q1

김알지 신화에 등장하는 **닭**은 무엇을 뜻할까요?

닭은 태양, 빛의 심부름꾼, 출세, 용맹을 상징해요. 즉, 신화 속의 닭은 **영웅의 탄생**을 예고하는 역할을 한다고 볼 수 있지요.

Q2

탈해왕이 **김알지**를 받아들인 특별한 이유가 있나요?

석탈해는 박혁거세의 후손인 박씨에 비해 뒤늦게 신라에 도착했기 때문에 힘이 약했어요. 그래서 석탈해는 자기와 비슷한 처지인 김알지와 손을 잡고 **왕권**을 강화시키고 싶었던 거예요.

Q3

신라 시대 **놀이**에는 어떤 것들이 있었나요?

발로 공을 차고 노는 축국, 연날리기, 활쏘기, 널뛰기, 씨름 등이 있었지요. 김알지가 구슬치기를 했다는데, 이때 사용한 구슬은 오늘날의 유리 구슬과는 달리 **돌**로 만든 구슬일 가능성이 커요. 유리를 만드는 기술은 굉장히 어려워서 유리로 만든 물건은 상당히 비싸고 구하기도 쉽지 않았거든요.

Q4

지금도 김알지의 **무덤**이 있나요?

지금은 없어요. 《삼국사기》를 보면 김알지를 사릉에 장사 지냈다고 하는데 **사릉**은 지금의 경주시 남천 이남 지역을 부르는 말이에요. 그 당시 신라는 왕의 힘이 강하지 않았기 때문에 김알지의 무덤은 크지 않았을 것이라 짐작해요.